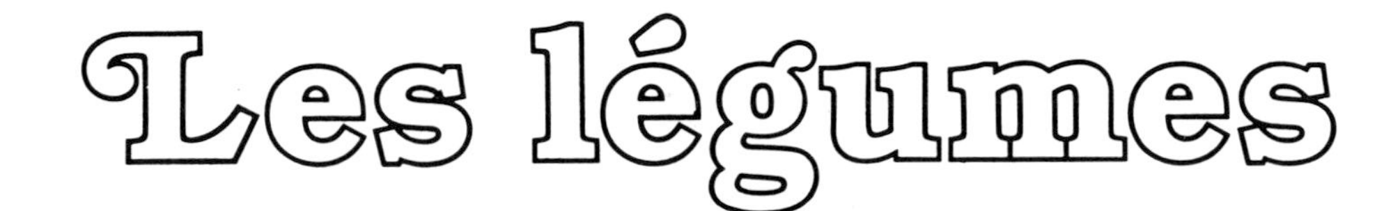

Les légumes

Les tartes aux légumes
Les potages aux légumes
Le riz aux légumes

Directeur de la collection
ROBERT CASTELL
Auteur des textes
MARTIN MOREDA

Illustrations photographiques
AISA • IBERFOTO • SALMER • P. ROTGER
Maquette
MICHEL O. CATALÁ

Fascination

7, rue Abel Hovelacque
75013 PARIS

Introduction

Vous trouverez à travers ce livre de délicieuses recettes aux légumes verts. Recettes pour garder la ligne, ainsi «les petits-pois aux pointes d'asperges»; recettes pour se rafraîchir le palais, ainsi «les aspics de légumes verts», recettes originales, ainsi «la bouillabaisse aux épinards»; recettes bien de chez nous ainsi «les pommes de terre à la dijonnaise», «les tomates farcies à la provençale», «les courgettes niçoises», sans oublier les ragoûts aux oignons, aux courgettes, aux échalottes, aux châtaignes... Et que dire des recettes des succulentes tartes aux bettes, aux poireaux et à l'oignon.

Vous aimez le riz? Vous ne serez pas déçu, car vous trouverez 25 recettes différentes pour l'accommoder...

Couscous, paëlla, choucroute, cassoulet, pot-au-feu madrilène, feijoada brésilienne, autant de recettes insolites et traditionnelles à découvrir. Sans oublier les haricots blancs, rouges et noirs, les lentilles, les pois chiches dont les recettes sont également très variées.

Rassurez-vous, les pages qui suivent vous aideront à surveiller vos calories et vous saurez tout sur les substances nutritives dont votre corps a besoin! La manière d'équilibrer vos repas, n'aura plus de secret pour vous...

En effet, il est indispensable de connaître les principes nutritifs des aliments et la valeur nutritive de chaque substance.

Les nutritionistes ont réparti les substances nutritives essentielles à l'homme en cinq groupes. Ils sont décrits brièvement ici.

1. L'EAU

Le principe nutritif le plus courant, l'eau, est également le plus important quantitativement: 65% de notre organisme sont constitués d'eau, dans les cellules (pour les relier, et les séparer entre elles) et dans le système circulatoire. L'organisme perd constamment de l'eau par la peau au cours du processus de l'élimination des déchets et chaque fois que nous respirons; il faut donc constamment compenser ces pertes d'eau.

Il n'existe pas de principes nutritifs plus "essentiels" que d'autres. Mais la rapidité avec laquelle le corps laisse s'échapper sa précieuse cargaison d'eau est si grande que, dans des conditions extrêmes, du type de celles décrites dans les récits émouvants des naufrages et des explorations lointaines, la soif semble être encore plus terrible que la faim. Le corps humain meurt de soif beaucoup plus rapidement que lorsqu'il est privé d'autres substances vitales.

La boisson est évidemment la façon la plus naturelle de recharger notre organisme en eau. Mais, de même que le corps humain, la majorité des aliments que nous consommons contiennent un pourcentage élevé d'eau, de sorte qu'au niveau de notre alimentation, nous "buvons", en absorbant d'autres aliments, la plus grande partie de l'eau dont nous avons besoin.

2. LES PROTEINES

Le terme "protéines" recouvre tout un ensemble de substances organiques résultant de la composition de divers acides aminés. Ces derniers comprennent plus de vingt composants différents dont la plupart n'ont pas encore pu être synthétisés en laboratoire. Les acides aminés intègrent, en descendant l'échelle des éléments vivants jusqu'aux substances les plus simples, les éléments chimiques présents dans notre organisme: oxygène, carbone, hydrogène, azote, phosphore, potassium, soufre, sodium, magnésium, manganèse, cuivre, iode, etc.

Les protéines sont l'élément plastique de l'organisme, le composant principal des tissus qui maintien-

Consommation de calories de l'organisme humain

La calorie est l'unité de mesure par laquelle on estime la quantité d'énergie consommé par l'organisme et l'énergie que fournissent les différents aliments. La consommation énergétique de l'organisme dépend de divers facteurs: le poids, la stature, l'âge, les activités fournies, la saison et le climat. Les tableaux de consommation de calories, comme ceux présentés dans ce livre, sont les auxiliaires indispensables à l'établissement de régimes sains et équilibrés.

Organisme d'un enfant et d'un adolescent

Consommation quotidienne		
âge	**garçons**	**filles**
9 ans	de 1900 à 2500 cal.	de 1800 à 2200 cal.
10 ans	de 2100 à 2700 cal.	de 1900 à 2600 cal.
11 ans	de 2200 à 2800 cal.	de 2000 à 2800 cal.
12 ans	de 2300 à 3000 cal.	de 2100 à 3000 cal.
13 ans	de 2500 à 3500 cal.	de 2300 à 3400 cal.
14 ans	de 2600 à 3800 cal.	de 2400 à 3500 cal.
15 ans	de 2700 à 4000 cal.	de 2400 à 2800 cal.
16 ans	de 2700 à 4000 cal.	de 2250 à 2800 cal.
17 ans	de 2800 à 4000 cal.	de 2250 à 2800 cal.

Organisme d'un adulte

Consommation quotidienne		
	homme (70 kg)	**femme** (56 kg)
travail sédentaire	2500 cal.	2100 cal.
travail modérément actif	3000 cal.	2500 cal.
travail très actif	4500 cal.	3000 cal.

nent toute notre architecture à la verticale. Il y a onze kilos de protéines dans un corps adulte de soixante-cinq kilos, et cette proportion est encore plus élevée chez l'enfant. L'enfant utilise les protéines de son alimentation pour construire son jeune corps. L'adulte, pour remplacer les tissus qui meurent.

Curieusement, l'étude scientifique des protéines dans la nutrition de l'homme est très récente. Pendant un grand nombre de décennies, les chercheurs se sont penchés essentiellement sur les vitamines dont la découverte a permis d'éliminer, en quelques décennies, des maladies qui s'étaient avérées inguérissables pendant des siècles. Cependant, depuis la fin de la Deuxième Guerre Mondiale, notamment à l'initiative de l'Organisation Mondiale de la Santé, on a étudié à fond le rôle des protéines dans l'organisme humain, et on a identifié les problèmes très graves que provoque une carence en vitamines.

En effet, presque tous les aliments connus renferment un type de protéine. Mais dans les céréales et dans les tubercules, par exemple, les teneurs en protéines sont si infimes qu'un régime exclusivement à base de ce type d'aliments (or, c'est le cas dans de vastes régions de notre planète) ne permet pas une croissance et un développement normaux des enfants et provoque de graves cas de malnutrition chez les adultes.

Une carence en protéines au cours des premières années de la vie est à l'origine de maladies probablement irréversibles, et notamment de la cirrhose du foie. Des études récentes montrent qu'une carence en protéines au cours des six premiers mois de la vie d'un nouveau-né limite le développement cérébral et entraîne un retard mental irrécupérable. A l'échelle de la planète, il n'existe pas aujourd'hui de problème de santé plus menaçant que cette carence en protéines dont sont victimes un pourcentage scandaleux d'habitants des pays sous développés.

Nous sommes en revanche confrontés, dans les pays industrialisés, au revers de la médaille: nous consommons trop d'aliments riches en protéines, et notamment de la viande. L'organisme qui n'a pas besoin des quantités de protéines qu'on lui fournit, les utilise simplement pour produire de l'énergie, une énergie qu'il eût été plus facile et meilleur marché de lui fournir par le biais d'autres aliments comme les céréales (l'organisme les transforme en outre plus rapidement et moyennant moins d'efforts). Nous nous trouvons donc devant un gaspillage massif de la richesse, aussi précieuse que rare, que représentent les aliments, ceci en raison de modes et d'habitudes alimentaires qui ne sont ni bonnes pour la santé, ni liées de quelque façon que se soit au raffinement de la gastronomie.

La viande, le poisson et le lait sont les aliments les plus riches en protéines. En outre, et bien que nous ayions déjà mentionné leur présence dans presque tous les aliments connus, ce sont précisément les protéines d'origine animale que le corps humain assimile le plus facilement et le plus efficacement.

Il semble inutile d'ajouter qu'une alimentation riche en protéines est particulièrement nécessaire pendant la croissance. Chez l'adulte, ce type de besoin est nettement moins important: un régime alimentaire équilibré et sain ne comprend pas plus de 10% à 15% de protéines. Les régimes alimentaires contenant entre 45 et 50% de protéines, comme c'est le cas dans les pays développés et parmi les membres des classes sociales à pouvoir d'achat élevé sont, dans le monde entier, des aberrations alimentaires nocives pour l'organisme. Ces aberrations ne peuvent être combattues que par le biais d'une culture authentique au niveau de l'alimentation et de la santé d'une part, et par le biais d'un véritable goût pour la gastronomie et l'art culinaire d'autre part.

3. LES GRAISSES ET LES HYDRATES DE CARBONE

Si les protéines sont, par excellence, les substances nutritives qui construisent et élaborent notre corps, les graisses et les hydrates de carbone sont les substances énergétiques par excellence. Ce sont les combustibles de la machine organique, ceux que le corps consomme constamment pour se mouvoir et travailler (y compris, bien sûr, pour assimiler les protéines et les autres aliments). En bref, ce sont nos ressources énergétiques.

A ce niveau, bien que ce soient des substances très différentes, les hydrates de carbone et les graisses sont pratiquement équivalents et interchangeables. L'organisme s'adapte à des régimes où l'une de ces deux substances domine très nettement par rapport à l'autre. Elles ont en commun une composition beaucoup plus simple que celle des protéines, puisque leurs éléments constitutifs sont essentiellement l'oxygène, le carbone et l'hydrogène.

Sont riches en hydrates de carbone tous les aliments qui contiennent des sucres (on appelle également les hydrates de carbone des "glucides"), de l'amidon ou de la fécule. Ce sont en général des aliments qui, contrairement à ce qui se passe avec les meilleures protéines et un grand nombre de graisses, sont d'origine végétale: il s'agit des céréales, des tubercules et, bien sûr, du sucre. De nos jours, la manipulation industrielle de ces aliments est assez contradictoire. Tout d'abord, le moulage, le raffinage, etc., privent les céréales et le sucre des principes nutritifs importants (sels minéraux, vitamines) en les réduisant à un état où ils n'apportent à l'organisme que de l'énergie pure, ou, comme disent les experts, des "calories vides". Conscients du fait que ces aliments constituent l'alimentation de base de la grande majorité des habitants de la terre, les chercheurs réalisent constamment des expériences pour obtenir des variétés plus riches en protéines; les fabricants ajoutent à leur tour des vitamines et des sels minéraux pour obtenir des aliments plus complets.

Le même phénomène qu'avec les protéines est constaté avec les hydrates de carbone: nous pouvons en consommer, en temps normal, beaucoup plus qu'il n'est

Calcul des ingrédients par personne

(les quantités indiquées concernent des aliments crus)

	grammes
Haricots	100
Bettes	250
Riz (pour potage)	50
Riz (pour paëlla)	100
Bifteck	125
Chou-fleur	250
Fruits	125
Pois chiches	100
Petits-pois (écossés)	250
Petits-pois (secs)	100
Haricots verts	250
Foie	100
Lentilles	100
Macaroni	50
Pâtes pour les potages	50
Pommes de terre	250
Poisson	200
Chou pommé	350

nécessaire pour satisfaire les besoins énergétiques habituels de notre organisme. Il est ainsi fréquent que l'organisme, dans le cadre de ses activités quotidiennes, ne soit pas capable de brûler les hydrates de carbone fournis par une alimentation excessive. L'organisme se charge alors de transformer l'excédent d'hydrates de carbone en graisse. Laquelle sera emmagasinée dans les réserves qu'il prévoit pour les cas d'urgence. Quand il n'y a pas d'urgence et que l'individu s'alimente continuellement de façon excessive, les dépôts de graisse se transforment en adiposités nuisibles et inesthétiques.

Les graisses sont présentes dans un grand nombre d'aliments d'origine animale et végétale. Elles fournissent de l'énergie à l'organisme tout comme les hydrates de carbone, voire plus (c'est-à-dire plus de calories). Mais cet avantage est plus apparent que réel puisque l'organisme assimile plus difficilement les graisses.

Une consommation excessive de graisses est dangereuse pour la santé, et les régimes diététiques et modernes font, dans la mesure du possible, abstraction des graisses. Il s'agit toutefois de substances nutritives essentielles, puisque c'est dans les graisses que l'on trouve certains acides nécessaires à l'organisme et que celui-ci ne peut pas fabriquer lui-même à partir d'autres substances (nous avons déjà vu que l'aptitude de l'organisme à transformer les éléments nutritifs dont il n'a pas besoin en éléments utiles est ahurissante; mais elle n'est ni universelle ni complète). De même, certaines vitamines essentielles solubles dans la graisse ont besoin de cette substance pour agir dans l'organisme humain.

4. LES SELS MINERAUX

Un grand nombre de sel minéraux interviennent dans la composition des acides aminés et, par conséquent, des protéines. Ces substances pénètrent bien sûr dans l'organisme par le biais de l'alimentation, et c'est principalement par l'intermédiaire de celle-ci que nous parvenons à pallier toute carence.

Parmi tous les sels minéraux (on considère que plus de vingt d'entre eux sont essentiels à la vie organique), il en est deux dont le rôle est particulièrement important et qui dépendent de nos habitudes alimentaires. Il s'agit du fer et du calcium.

On a calculé que l'organisme d'un adulte normal renferme plus d'un kilo de calcium. Tout ce calcium se trouve pour ainsi dire dans le squelette et dans les dents, en diverses combinaisons à base notamment de phosphore. Tout comme dans le cas des protéines, on peut en conclure facilement que le calcium est un sel minéral

Tableau des calories
(pour cent grammes)

Aliment	Calories	Aliment	Calories
Huile d'olive	900	Chou-fleur	20
Riz cuit à la vapeur	126	Champignon	27
Riz (paëlla)	320	Scarole	20
Pois chiches	150	Asperges	20
Petits-pois	68	Epinards	20
Haricots blancs	99	Haricots verts	15
Lentilles	102	Laitue	17
Olives	130	Chou rouge	10
Bettes	25	Navets	21
Chicorée	20	Pommes de terre (cuites)	65
Ail	115	Pommes de terre (frites)	230
Artichaut	16	Concombre	10
Céleri (cru)	19	Persil	50
Aubergine	10	Poivron	27
Patate	123	Poireau	25
Cresson	25	Radis	20
Broccoli	17	Betterave	35
Courgette	6	Tomate (crue)	21
Citrouille	21	Tomate (frite)	73
Oignon (cru)	38	Carotte	40
Oignon (frit)	335		
Chou	15		
Chou de Bruxelles	20		

indispensable pendant la croissance. Il convient de souligner que le lait, qui est l'une des meilleures sources de protéines, a également une teneur élevée en calcium et est, de ce fait, le meilleur allié de la santé des enfants.

Chez les adultes, le squelette a cessé de croître. Mais, loin de constituer une charpente inerte, le squelette partage la vie intense de l'organisme et sert en particulier d'importante réserve de calcium qu'il met à la disposition du reste du corps. Un adulte trouve, sans trop y prêter attention, le calcium dont il a besoin pour maintenir le niveau de la réserve, dans un grand nombre d'aliments courants qui contiennent d'infimes quantités de ce sel minéral.

Lorsque la mère doit faire face aux grands besoins en calcium du foetus et du nouveau-né, au cours de la grossesse et de l'allaitement, elle doit renforcer son alimentation en produits particulièrement riches en calcium comme le lait et le fromage.

Le fer, quant à lui, n'est pas présent dans l'organisme dans les mêmes proportions que le calcium. Mais les infimes quantités de fer ont, dans l' organisme, des fonctions extrêmement importantes. Le fer entre dans la composition de l'hémoglobine, le pigment des globules rouges du sang. L'organisme parvient à le récupérer dans les cellules mortes pour fabriquer de nouvelles cellules, de sorte qu'une carence en fer survient surtout quand un individu a saigné beaucoup et de manière chronique. C'est le cas des femmes pendant la menstruation, pendant la grossesse (il s'agit là d'un transfert de sang vers le foetus) et pendant l'accouchement. Il en résulte qu'un grand nombre de femmes souffrent d'anémie, pas forcément aiguë, mais touchant, selon nos calculs, 20% de la population féminine de la plupart des pays. Beaucoup d'aliments contiennent du fer, notamment, comme tout le monde le sait, les lentilles et les épinards. Mais le fer contenu dans ces aliments ne se présente pas toujours sous une forme assimilable par l'organisme, de sorte qu'il n'y a souvent pas d'autre recours que d'utiliser des formules artificielles prescrites par le médecin.

5. LES VITAMINES

Le terme "vitamines" recouvre une vaste gamme de substances chimiques présentes dans l'organisme en quantités microscopiques et jouant cependant un rôle essentiel. Sans vitamines, ni les hydrates de carbone, ni les graisses ne seraient convertis par l'organisme en énergie vitale, et ni les protéines, ni les sels minéraux ne parviendraient à construire l'édifice humain. Les vitamines sont les ouvriers laborieux de notre fabrique organique.

L'histoire de la découverte des vitamines est l'une des aventures les plus passionnantes de la science, une aventure qui a à peine un siècle. C'est au cours de l'étude de diverses maladies, de l'analyse de quelques remèdes traditionnels efficaces et de l'expérimentation de nouveaux remèdes, qu'a été dressé l'inventaire, sans aucun doute non exhaustif, de ces petits "bon génies" de notre organisme.

Le scorbut, par exemple, a été le fléau traditionnel des habitants des steppes glacées où l'on ne consommait pas d'aliments frais. Il était devenu l'ennemi numéro un des explorateurs et des navigateurs. On savait que le citron et l'orange permettaient de combattre efficacement cette maladie; on identifia par la suite dans ces agrumes le composé actif anti-scorbut que l'on appela vitamine C.

Au fur et à mesure que l'on identifia ces substances, les chercheurs leur attribuèrent les lettres de l'alphabet. Plus tard, on s'aperçut que les premières dénominations recouvraient en réalité des vitamines différentes et parfaitement différenciables que l'on commença à identifier par des noms (thiamine, riboflavine, acide ascorbique, etc.) ou plus simplement en ajoutant un indice au signe alphabétique d'origine (B_1, B_2, etc.).

Aujourd'hui, les maladies dues à une carence en vitamine ont été pour ainsi dire éliminées dans tous les pays développés, ou bien enrayées dès qu'une partie de la population présente les premiers symptômes. Contrairement aux protéines ou à d'autres substances nutritives, l'apport de vitamines ne présente pas de difficultés économiques notables et n'entraîne aucun sacrifice diététique ni aucune modification des habitudes alimentaires. On peut dire qu'à l'exception de cas où l'alimentation est sérieusement déséquilibrée, un régime alimentaire normal apporte dans nos pays toutes les vitamines nécessaires et en quantités suffisantes.

La vitamine A agit au niveau de l'épithélium, c'est-à-dire au niveau des membranes qui enveloppent les différents organes du corps: la peau, les muqueuses des voies respiratoires et urinaires, etc, qu'elle protège des infections. La principale maladie liée à une carence en vitamine A est la cécité. La vitamine A se trouve dans le lait et ses dérivés, le jaune d'oeuf, les légumes verts, et en abondance dans le foie des animaux et des poissons.

La vitamine B_1 stimule l'appétit et facilite le processus de la digestion. Elle agit contre la tension nerveuse et les états dépressifs. On la trouve dans les légumes et dans les rognons et le foie des animaux.

Une carence en vitamine B_2 est à l'origine d'anémies pernicieuses, car c'est une vitamine essentielle au développement des globules rouges du sang. Tout comme pour le fer et le calcium, il faut augmenter la consommation de cette vitamine pendant la grossesse. Il semble, en outre, qu'elle assure une totale utilisation des protéines par l'organisme. On la trouve principalement dans le foie.

La vitamine C (acide ascorbique), qui a mis fin au scorbut, protège contre les infections. C'est peut-être la plus connue et la plus populaire des vitamines, et peut-être aussi la plus contestée. Linus Pauling, grand chercheur et Prix Nobel de Médecine en 1970, est un fervent adepte d'une consommation abondante de vitamine C, à laquelle il attribue des effets préventifs et curatifs sur les maladies les plus variées et notamment sur le cancer. Cette vitamine se trouve surtout dans les oranges et les citrons, mais également dans les tomates et dans d'autres fruits et légumes verts.

La vitamine D a des caractéristiques proches de celles de la vitamine A et se trouve pour ainsi dire dans les mêmes aliments. C'est l'une des vitamines de la croissance par excellence; elle sert notamment de remède universel contre le rachitisme des enfants. Curieusement, cette vitamine est essentiellement produite par l'organisme: sous l'effet de la lumière du soleil, certaines substances de la peau se transforment en vitamine D. Le rachitisme a été une maladie très répandue dans les pays jouissant de peu d'heures d'ensoleillement; lorsque des médecins, dans le monde entier, recommandent d'exposer les enfants — même très petits — au soleil, il s'agit très précisément de stimuler la fabrication de cette vitamine qui facilite l'absorption du calcium dans les os et qui est essentielle au développement normal du corps de l'enfant. L'huile de foie de morue est particulièrement riche en vitamine D et a été l'un des grands remèdes traditionnels contre le rachitisme, notamment dans les pays froids.

La vitamine E intervient principalement dans les fonctions de la reproduction, et toute carence peut provoquer une stérilité de l'homme ou de la femme. Mais il semble que son action s'étende également aux muscles, à la peau et probablement à tous les autres tissus de l'organisme humain. La vitamine E se trouve surtout dans les oeufs, mais également dans un grand nombre de fruits et de légumes.

Enfin, la vitamine K est un facteur de coagulation du sang et a, par conséquent, une fonction anti-hémorragique. On la trouve dans les légumes, divers fruits et, comme beaucoup d'autres vitamines, dans le foie.

Il s'agit d'un domaine où le travail des chercheurs n'est jamais terminé. Toutefois, nous connaissons déjà suffisamment de choses pour enrayer relativement facilement les ravages de l'avitaminose. Néanmoins, dans un grand nombre de pays développés où il semble que ces carences appartiennent au passé, l'avitaminose réapparaît, malheureusement dans une strate bien particulière de la population: chez les personnes âgées qui, manquant de moyens économiques ou tout simplement de courage pour improviser un repas différent chaque jour, se laissent aller à une alimentation uniforme, rarement variée, pouvant être dépourvue de certaines vitamines indispensables et de certains principes nutritifs essentiels. Nous avons également échoué, malgré les efforts d'organismes internationaux comme l'Organisation Mondiale de la Santé, au niveau de la population infantile des pays sous-développés. L'avitaminose sévit de nos jours dans les deux segments de la population mondiale les plus vulnérables: les enfants et les personnes âgées.

Nous n'avons pas donné ces informations sommaires sur les principes de l'alimentation de l'homme pour céder au simple caprice de la divulgation scientifique. Il s'agit seulement d'attirer votre attention sur un fait dont nous ne sommes pas toujours conscients: ce n'est pas seulement notre plaisir mais notre santé qui se joue tous les jours dans notre cuisine.

La recherche nutritioniste, les nouvelles techniques agricoles et agro-alimentaires transforment notre alimentation au-dessus de nos têtes, sans que nous puissions en comprendre les modifications ou porter un jugement à leur propos. Les autorités sanitaires traitent l'eau que nous buvons au moyen de diverses substances chimiques. Les fabricants de pâtes ajoutent des vitamines et des sels minéraux aux produits que nous achetons. Les centres de recherche agro-alimentaire diffusent de par le monde des variétés de plantes plus vigoureuses et de nouvelles méthodes d'élevage. Nous sommes un peu les cobayes d'une vaste expérimentation qui, en quelques générations, est en train de transformer la vie de l'homme sur terre.

L'alimentation est devenue, non pas un vaste problème social puisqu'elle l'a toujours été, mais un problème sur lequel la société mondiale agit collectivement dans des limites insoupçonnées. Les aspects positifs de cette action souvent spectaculaire s'accompagnent d'échecs tout aussi retentissants: l'utilisation de certains additifs dangereux pour la santé de l'homme, et l'engraissement artificiel des animaux par des substances pernicieuses.

Apprendre à cuisiner ne peut donc consister exclusivement à se perfectionner dans l'utilisation agréable des aliments. L'art culinaire, tout comme la gastronomie, ne peut cependant pas être un exercice essentiellement esthétique et imaginatif sans excès. Et réduire les repas à l'application d'une série de consignes scientifiques (transformer la cuisine en laboratoire) transformerait la cuisine en une perversion alimentaire des plus inhumaines. Mais jamais la fantaisie n'a exclu le savoir et, pour transgresser la norme, il convient de vivre en accord avec ses principes.

6. VEGETARISME ET MACROBIOTIQUE

En contraste avec la cuisine de type occidental, ou peut-être en complément de celle-ci, sont apparus au cours des vingt dernières années, dans le monde de la gastronomie, deux nouvelles formes d'alimentation: le végétarisme et la macrobiotique.

Etant donné leur impact, notamment celui de la macrobiotique, et surtout chez les jeunes nous nous devons d'en parler même brièvement.

Le végétarisme est très connu. Il repose sur le refus total de tout aliment de type animal, en raison de la haute teneur en toxines des viandes et des poissons. Selon les adeptes de cette pratique nutritionnelle, tout le contingent diététique est tiré du règne végétal. Les légumes verts, les fruits, les céréales, etc. combinés en tenant des incompatibilités et des rejets dûs aux réactions chimico-biologiques qui entrent en jeu, constituent la seule source alimentaire du végétarien. On a beaucoup écrit et beaucoup dit sur cette pratique diététique, sur ses avantages et ses inconvénients. Elle est d'ailleurs presque aussi vieille que l'humanité.

Cependant, la dernière grande innovation de l'art de la gastronomie est la macrobiotique. Elle est la création du japonais Georges Ohsawa qui l'a diffusée dans le monde entier, surtout après la dernière guerre mondiale. Cette pratique diététique de l'Extrême-Orient est fondamentalement végétarienne, mais ne rejette pas totalement les produits d'origine animale. Elle repose sur un équilibre biologique et nutritionnel qui découle des fameux principes Yin et Yang de la philosophie Zen. Le Yin est humide, acide, sucré, fade, féminin, froid, etc., alors que le Yang est sec, alcalain, salé, dense, masculin, chaud, etc. Il s'agit des deux aspects du monde universel physique, de pôles opposés et complémentaires à la fois.

Selon la macrobiotique, la race humaine s'achemine vers une dégénération biologique rapide, motivée entre autres par l'alimentation chaotique et artificieuse du genre humain, surtout dans les pays les plus développés techniquement parlant. Telle est l'origine, selon la macrobiotique, de la multitude de maladies de type dégénératif qui frappent notre société: cancer, artériosclérose, infarctus, etc. Le rétablissement de l'équilibre perdu passe par un régime nutritionnel véritablement biologique, le seul qui soit en accord avec la nature. La macrobiotique, nous dit-on, est parvenue à cet équilibre et l'avenir lui donnera, ajoute-t-on, raison. La base alimentaire de la macrobiotique est constituée par les céréales: riz, blé, millet, orge, maïs, etc; les légumes verts terrestres et marins; les légumineuses, les fruits, les fruits secs, les oléagineux, des produits divers et, en dernier lieu, les viandes et les poissons. Elle ne rejette aucun aliment mais les conditionne en fonction de la zone climatique où nous vivons et du travail que nous effectuons.

Une alimentation macrobiotique standard se compose de 50% de céréales, surtout du riz qui est l'aliment le plus équilibré, de 20-30% de légumes verts, de 10% de légumineuses et d'algues, de 15% au plus de produits d'origine animale, d'un peu de fruits et de produits divers. Tout est déterminé par notre dentition qui est composée surtout de molaires et de pré-molaires, de quelques incisives et d'un nombre encore moins important de canines qui servent à déchirer la viande.

En théorie, on ne peut rien objecter à la macrobiotique malgré le nombre important de ses détracteurs. Son impact est très grand. Le temps lui donnera raison ou tort. Mais il est un fait certain que personne ne niera: nous devons modifier nos habitudes alimentaires. Nous ne pouvons pas augmenter trop la note des produits d'origine animale ou végétale. Les extrêmes sont nuisibles. La science alimentaire de l'avenir a beaucoup à nous apprendre. Et, que la macrobiotique ait tort ou raison, nous devons lui reconnaître le mérite de nous faire réfléchir à nos habitudes alimentaires qui, malheureusement et en raison de circonstances compliquées (heures de travail, hâte, mauvaise information, climat social, etc.), ne sont pas toujours recommandables d'un point de vue biologique et en fonction de ce dont notre organisme a besoin.

REMARQUE

Les ingrédients dont la liste figure en tête de chaque recette ont été calculés pour quatre personnes. Néanmoins, dans quelques cas isolés, les quantités indiquées correspondent à un plus grand nombre de convives. En effet, la préparation de certains mets exige que l'on utilise des quantités minimum, en dessous desquelles on ne saurait confectionner le plat en question. En outre, il est des cas où ces quantités sont déterminées par le volume du morceau à cuisiner et non par le nombre d'invités.

Comment organiser sa cuisine

Peu d'endroits ont, comme la cuisine, joint aussi efficacement le beau à l'utile et le fonctionnel à l'agréable. Pour bien cuisiner, organisez votre cuisine de telle façon qu'elle soit propre et pratique, et procurez-vous des ustensiles qui vont vous simplifier la tâche. N'oubliez pas que les objets de la cuisine, du mobilier aux ustensiles, qu'ils soient anciens ou modernes, peuvent être très beaux sans pour autant être sophistiqués ou luxueux. La cuisine, quel que soit le style choisi pour sa décoration et son caractère fonctionnel, doit respirer la sérénité. Bien que cela tombe sous le sens, pensez que c'est là que l'on "cuisine" notre nourriture. C'est l'endroit qui permet de compenser notre consommation quotidienne d'énergie. Et, selon la qualité des aliments et la façon de les préparer, notre organisme les assimilera de façon plus ou moins efficace. Cuisiner en étant pressé, nerveux ou négligent est tout-à-fait dommage! Une cuisson défectueuse peut détruire les propriétés précieuses des aliments. L'ambiance de la cuisine doit donner envie d'y rester.

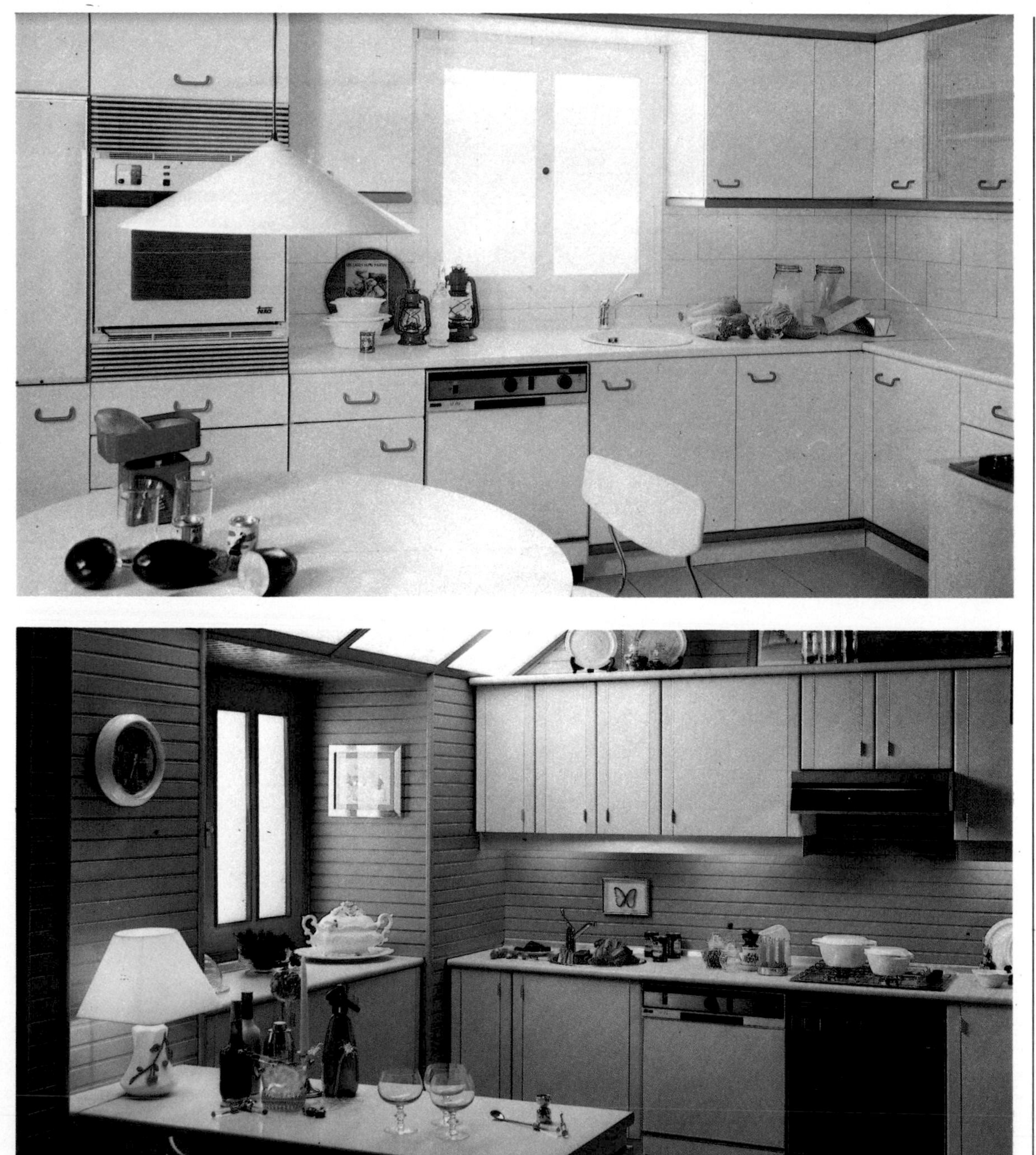

Aspic de légumes verts

400 grammes de macédoine de légumes (carottes, pommes de terre, petits-pois, haricots verts, etc.)
Gélatine en feuilles
Huile et vinaigre
Sel et poivre

1. Faites macérer les légumes verts pendant une heure dans de l'huile, du vinaigre, du sel et du poivre. Faites-les cuire ensuite pendant dix minutes.
2. Incorporez la gélatine semi-liquide.
3. Versez le tout dans un moule adéquat et laissez au réfrigérateur pendant deux heures avant de servir.

Bettes au gratin

750 grammes de bettes
Un céleri

Béchamel
Fromage râpé
Beurre
Citron, noix de muscade
Sel et poivre

1. Coupez les bettes et le céleri en morceaux. Faites cuire le céleri dans de l'eau salée bouillante pendant un quart d'heure. Ajoutez les bettes et poursuivez la cuisson pendant vingt à trente minutes. Arrosez de jus de citron.
2. Egouttez-les et mettez-les

dans un plat réfractaire beurré. Ajoutez à la béchamel le fromage râpé et un peu de noix de muscade et recouvrez les légumes cuits avec ce mélange. Saupoudrez de fromage râpé, ajoutez quelques morceaux de beurre sur le dessus et faites gratiner à four chaud jusqu'à ce que le plat soit doré.

Aubergines grillées

Quatre aubergines
Ail

Vinaigre
Huile, sel et poivre

1. Enduisez les aubergines d'huile ou de beurre et faites-les dorer au gril (ou au four).
2. Pelez les aubergines et coupez-les en deux dans le sens de la longueur. Assaisonnez-les d'ail haché, de sel, de poivre, d'huile et de quelques gouttes de vinaigre. Servez chaud.

Aubergines frites aux oignons

Trois aubergines
Trois oignons
Ciboulette
Huile d'olive
Sel et poivre

1. Faites cuire les aubergines pendant environ huit minutes dans de l'eau bouillante salée. Egouttez-les et coupez-les en rondelles.
2. Faites-les frire dans de l'huile chaude, saupoudrez-les de sel et laissez-les égoutter et refroidir.
3. Coupez les oignons en rondelles et faites-les frire; laissez-les également refroidir.
4. Dans un plat, mettez une couche d'aubergines, assaisonnez d'un peu de poivre, puis recouvrez d'oignon et de ciboulette, etc. Mettez le plat au réfrigérateur. Arrosez d'un trait d'huile d'olive au moment de servir.

Pâté de bettes

Une livre de bettes
350 grammes de lard demi-sel
Trois oignons
Trois oeufs
Trois jaunes d'oeuf
Un quart de litre de lait
Farine
Thym en poudre
Laurier et persil haché
Saindoux
Sel et poivre

1. Hachez les feuilles de bettes et coupez le lard en morceaux.
2. Dans une casserole contenant du saindoux, faites frire les bettes à feu vif en remuant souvent. Dès qu'elles sont molles, ajoutez les oignons coupés en petits morceaux, un peu de persil, de thym et une feuille de laurier. Faites revenir le tout.
3. Retirez la casserole du feu et ajoutez le lard, les oeufs, et les jaunes d'oeuf, en mélangeant bien le tout. Puis, ajoutez le lait, salez et poivrez.
4. Mettez le mélange dans un plat pouvant aller au four. Faites gratiner pendant quarante minutes à four chaud.

Les légumes verts

Bouillabaisse aux épinards

Un kilo d'épinards
Un oignon
Un demi-verre d'huile
300 grammes de pommes de terre
Quatre oeufs
Safran
Une gousse d'ail
Beurre
Sel et poivre

1. Lavez les épinards et coupez-les légèrement.
2. Faites chauffer l'huile et l'ail, et ajoutez les épinards et les pommes de terre coupées en dés. Ajoutez l'oignon finement haché, une pincée de safran, du sel et du poivre. Laissez cuire environ dix minutes.
3. Puis, avec une cuillère, formez quatre nids au centre et versez un oeuf dans chaque nid. Les oeufs coaguleront en quelques minutes. Servez chaud.

Chou vert et chou rouge en vinaigrette

Chou vert
Chou rouge
Huile et vinaigre
Sel et poivre

1. Nettoyez le chou vert, mettez-le dans un fait-tout contenant de l'eau froide légèrement salée, portez à ébullition et faites bouillir pendant trois ou quatre minutes. Passez le chou sous le robinet d'eau froide pour qu'il refroidisse. Coupez-le en fines lamelles.
2. Lavez le chou rouge et coupez-le en fines lamelles. Mettez les lamelles dans un récipient avec du sel et un peu de vinaigre et laissez-les macérer pendant quelques heures.
3. Assaisonnez séparément le chou vert et le chou rouge d'huile, de sel, de vinaigre et de poivre. Pour servir la salade, mettez le chou vert dans un plat creux en forme de couronne et ajoutez le chou rouge au milieu.

Courgettes niçoises

Un kilo de courgettes
Quatre tomates
Un oignon
Une gousse d'ail
Olives
Thym et laurier
Huile d'olive
Sel et poivre

1. Dans une poêle ou une casserole, faites chauffer l'huile et faites revenir l'oignon haché sans qu'il dore.
2. Ajoutez les courgettes, les tomates pelées et coupées en morceaux, les olives et un peu de thym et de laurier.
3. Pilez l'ail et ajoutez-le aux autres ingrédients. Salez, poivrez et faites cuire pendant une demi-heure. (Ce plat peut être servi froid ou chaud).

Courgettes farcies

Quatre courgettes
Beurre
Bouillon ou eau
Ciboulette hachée
Quatre oeufs
Crème fraîche ou crème de lait
Quatre tomates
Chapelure
Fromage râpé
Sel et poivre

1. Coupez les courgettes à chaque extrémité et coupez-les en deux dans le sens de la longueur. Faites-les frire dans une poêle pendant deux à trois minutes. Salez, poivrez et recouvrez-les d'eau ou de bouillon. Faites cuire pendant environ dix minutes jusqu'à ce que le liquide se soit évaporé.
2. Dans un récipient à part, mélangez les oeufs, une cuillerée de ciboulette hachée, quelques cuillerées de crème fraîche ou de crème de lait, une pincée de sel et du poivre. Remuez avec un peu de beurre jusqu'à obtention d'une sauce épaisse et fine à la fois.
3. Mettez les courgettes sur un plat. Disposez au-dessus les tomates coupées en rondelles. Recouvrez avec un mélange d'oeufs, de chapelure, de fromage râpé et de quelques noix de beurre. Faites gratiner pendant quelques minutes à four bien chaud.

Ragoût aux oignons

Une livre d'oignons nouveaux
200 grammes de champignons
Quatre tomates
Un citron
Une demi-bouteille de vin blanc
Thym et laurier
Huile d'olive
Sel et poivre

1. Pelez les tomates et mettez-les à cuire dans une casserole contenant du beurre.
2. Ajoutez les oignons épluchés et les champignons. Arrosez de vin blanc et de jus de citron. Ajoutez du thym et du laurier. Salez et poivrez.
3. Fermez la casserole et faites cuire à feu doux pendant une heure et demie. (Ce plat se sert froid ou chaud).

Aubergines au gratin

Un kilo d'aubergines
Une livre de tomates
Deux gousses d'ail
Fromage râpé
Basilic
Thym
Persil
Sucre
Huile, sel et poivre

1. Coupez les aubergines en rondelles d'un centimètre d'épaisseur. Mettez-les dans une passoire, saupoudrez de sel et faites macérer pendant une demi-heure. Lavez-les et séchez-les avec un torchon.
2. Faites-les frire dans un bain d'huile et égouttez-les
3. Faites une sauce à la tomate avec de l'ail pilé, quelques feuilles de basilic, un brin de thym, du persil, deux morceaux de sucre et deux cuillerées d'huile. Faites cuire la sauce dans un fait-tout à feu vif jusqu'à ce que le jus des tomates se soit évaporé. Baissez le feu et laissez épaissir. Salez et poivrez.
4. Dans un plat pouvant aller au four, disposez une couche de sauce tomate, puis une couche d'aubergines, saupoudrez de fromage râpé et alternez les couches jusqu'à épuisement des ingrédients. Faites gratiner au four. Servez froid ou chaud.

Chou-fleur au gratin

Un chou-fleur
Béchamel
Citron
Une tranche de pain rassis
Parmesan râpé
Beurre

1. Coupez le chou-fleur en quatre. Faites-le cuire pendant quinze minutes dans de l'eau bouillante à laquelle vous aurez ajouté du sel, un morceau de citron et une tranche de pain rassis. Egouttez le chou-fleur et coupez-le en morceaux.
2. Mettez les morceaux sur un plat réfractaire beurré. Versez la béchamel sur les morceaux et saupoudrez de fromage râpé. Ajoutez quelques noix de beurre et mettez au four.

Flan aux légumes

200 grammes de carottes
100 grammes de champignons
Un poireau
Huit oeufs
50 grammes de crème de lait
100 grammes de fromage râpé
Beurre
Thym et laurier
Huile et vinaigre

1. Coupez les carottes en rondelles et faites-les cuire dans de l'eau salée bouillante.
2. Pendant ce temps, hachez le poireau et les champignons, et faites-les revenir dans du beurre en ajoutant un peu de thym et de laurier. Ajoutez les carottes déjà cuites.
3. Battez les oeufs avec la crème, salez, poivrez et ajoutez le fromage râpé.
4. Mettez les légumes dans un moule à flan et versez dessus les oeufs battus. Mettez au bain-marie au four pendant quarante-cinq minutes.

Champignons farcis

Huit gros champignons
Quatre champignons moyens
Deux tranches de jambon
Fromage râpé
Béchamel
Beurre
Sel et poivre

1. Séparez les chapeaux des pieds des gros champignons et faites-les cuire à feu doux dans une poêle avec du beurre.
2. Hachez le reste des champignons et faites-les revenir dans une autre poêle avec un peu de beurre. Ajoutez le jambon haché et faites-le également revenir. Retirez du feu et ajoutez la moitié de la béchamel et un peu de fromage râpé. Salez et poivrez et farcissez les chapeaux des champignons.
3. Mettez les champignons farcis sur un plat. Garnissez le fond du plat avec le reste de la farce et recouvrez le tout de béchamel. Saupoudrez de fromage râpé et ajoutez quelques noix de beurre. Faites gratiner pendant quelques minutes à four bien chaud.

Les légumes verts

Petits-pois aux pointes d'asperges

Une boîte d'asperges
Un kilo de petits-pois
Petits oignons nouveaux
Persil haché
Une laitue
Beurre
Sel et poivre

1. Faire fondre du beurre dans une casserole et faites revenir la laitue, les oignons hachés et le persil pendant cinq minutes.
2. Ajoutez une couche de petits-pois et une couche d'asperges coupées en morceaux. Recouvrez d'une nouvelle couche de petits-pois et continuez ainsi jusqu'à épuisement des ingrédients. Ajoutez un demi-verre d'eau, salez et poivrez.
3. Fermez la casserole et laissez cuire pendant environ vingt minutes.

Cardons à l'espagnole

Un kilo de cardons
100 grammes de jambon gras
Deux carottes
Un oignon
Un os de veau
Céleri
Sauce tomate
Un bouquet garni
Farine
Sucre
Un verre de vin blanc sec
Citron
Sel et poivre

1. Epluchez les cardons, enlevez les fils et coupez-les en gros morceaux. Frottez-les avec du jus de citron.
2. Faites cuire les cardons dans de l'eau salée bouillante pendant une demi-heure.
3. Coupez le jambon en morceaux et mettez-le dans un fait-tout à feu doux pour qu'il dégraisse. Ajoutez les légumes coupés en fines lamelles et l'os de veau, puis le bouquet garni, et faites frire doucement jusqu'à ce que le mélange se colore.
4. Ajoutez deux cuillerées de farine et faites revenir le tout. Ajoutez le vin et deux verres d'eau et faites cuire dix minutes.
5. Ajoutez deux cuillerées de sauce de tomate, une pincée de sucre, du sel et du poivre. Faites cuire à feu doux pendant trois-quarts d'heure en remuant de temps en temps.
6. Egouttez les cardons. Mettez-les dans un autre fait-tout. Dès que la sauce est cuite, passez-la au tamis et recouvrez-en les cardons. Faites cuire à feu doux pendant dix minutes.

Printanière de légumes

Une livre de pommes de terre nouvelles
300 grammes de carottes
250 grammes de petits-pois
300 grammes de petits oignons
100 grammes de raisins de Corinthe
100 grammes de beurre
Sel

1. Lavez et coupez les légumes et faites-les cuire à la vapeur pendant environ quinze minutes.
2. Laissez les raisins secs tremper quelques minutes dans de l'eau tiède pour qu'ils gonflent.
3. Mélangez les légumes et les raisins secs et faites-les revenir dans du beurre.

Endives braisées

Huit endives
Beurre
Sucre
Citron
Huile, sel et poivre

1. Lavez et égouttez les endives. Dans une poêle contenant un peu de beurre et une cuillerée d'huile, faites-les dorer. Dès qu'elles commencent à dorer, saupoudrez-les d'un peu de sucre, de sel et de poivre.
2. Mettez-les dans un fait-tout et recouvrez-les de jus de citron. Faites-les cuire à feu vif, le fait-tout fermé, pendant une demi-heure jusqu'à ce que tout le jus se soit évaporé.

Epinards à la catalane

Deux kilos d'épinards
100 grammes de jambon maigre
Raisins de Corinthe
Pignons
Sauce tomate
Vin sec, vieux
Un oignon
Une gousse d'ail
Cannelle
Poivre moulu
Huile et sel

1. Faites cuire les épinards dans un peu d'eau pendant cinq minutes. Egouttez-les et hachez-les.
2. Mettez les raisins secs dans de l'eau froide, enlevez les pépins et faites bouillir deux minutes.
3. Dans une poêle contenant de l'huile, faites frire l'oignon haché et le jambon. Dès que l'oignon commence à dorer, ajoutez l'ail haché. Mettez ensuite les épinards, quatre cuillerées de sauce tomate, les raisins secs et une poignée de pignons. Assaisonnez de sel, de poivre et d'un peu de cannelle.
4. Laissez refroidir doucement en remuant pendant une vingtaine de minutes. Avant de terminer, arrosez de vin et faites revenir quelques minutes. Servez accompagné de croûtons.

Les légumes verts

Navets au jus

Une livre de navets
Trois cuillerées de jus de viande
Bouillon
Beurre
Sucre
Une cuillerée de farine
Un bouquet garni
Persil
Sel et poivre

1. Epluchez les navets et faites-les cuire dans de l'eau chaude avec du sel. Egouttez.
2. Faites-les revenir dans du beurre avec une pincée de sucre, jusqu'à ce qu'ils aient pris une belle couleur dorée. Salez et poivrez et ajoutez la farine.
3. Ajoutez le bouillon pour obtenir une sauce claire, ainsi que le bouquet garni et le jus de viande. Laissez cuire un quart d'heure. Saupoudrez de persil au moment de servir.

Haricots verts maison

Un kilo de haricots verts
200 grammes de bacon ou de jambon
200 grammes d'oignons
400 grammes de tomates
Une gousse d'ail
Un petit verre de vin blanc
Poivre moulu et sel

1. Vous pouvez couper les haricots verts ou les laisser entiers. Coupez le jambon en gros morceaux.
2. Faites frire le jambon dans un fait-tout contenant de l'huile chaude. Ajoutez l'oignon et l'ail hachés; dès qu'ils commencent à dorer, ajoutez la tomate coupée en morceaux et faites un peu revenir. Puis ajoutez les haricots, le vin, et une pincée de poivre et de sel.
3. Fermez le fait-tout et faites revenir jusqu'à ce que le tout soit bien tendre. La préparation doit faire un peu de jus.

Pommes de terre à la dijonnaise

Un kilo de pommes de terre
150 grammes de jambon
Une cuillerée de farine
Beurre
Une cuillerée de moutarde
Sel et poivre

1. Epluchez les pommes de terre et faites-les cuire à l'eau.
2. Pendant ce temps, faites revenir le jambon coupé en petits morceaux dans une casserole contenant du beurre. Ajoutez la farine, attendez que le mélange se colore et mouillez pour obtenir une bonne sauce. Assaisonnez de sel, de poivre et de moutarde.
3. Recouvrez les pommes de terre avec cette sauce et servez.

Macédoine de légumes

Petits-pois surgelés
Fonds d'artichauts
Carottes
Citron
Beurre
Une demi-livre de champignons frais
Thym
Persil haché
Deux morceaux de sucre
Sel et poivre

1. Arrosez les fonds d'artichaut avec du citron et coupez-les en morceaux. Faites-les cuire dans de l'eau bouillante, avec du sel et du jus de citron, sans qu'ils se défassent.
2. Coupez les carottes en dés et faites-les cuire dans de l'eau bouillante salée avec les petits-pois. Ajoutez les morceaux de sucre.
3. Coupez les chapeaux des champignons en fines lamelles. Mettez-les pendant un moment dans de l'eau additionnée de jus de citron. Egouttez-les et faites-les revenir dans du beurre.
4. Rassemblez dans un fait-tout ou dans une cocotte tous les légumes cuits et ajoutez du beurre, du sel, du poivre et un brin de thym. Faites cuire à feu très doux en remuant sans arrêt pendant environ vingt minutes.
5. Au moment de servir, enlevez le thym et saupoudrez de persil haché. Excellent pour accompagner des rôtis ou des viandes grillées.

Les légumes verts et les céréales ont constitué, pendant des siècles, la base alimentaire de l'humanité. Il n'est donc pas surprenant qu'ils soient entourés d'un ensemble de légendes et de soi-disant vertus dont certaines sont réelles et confirmées par la science moderne. Déjà dans l'Iliade, Homère nous dit que le céleri peut guérir les chevaux malades; et au Moyen-Age, on lui attribue des pouvoirs aphrodisiaques. Caton propose le chou comme grand remède romain de tous les maux et pour faire fuir les magiciens grecs qui envahissent Rome.

L'épinard fut introduit en Europe au XIIème siècle par les Arabes qui affirmaient que c'était le balai de l'estomac qu'il nettoyait; plus récemment, Louis XVIII de France fut un grand amateur de ce légume, mais ses médecins le lui interdirent et cela fut à l'origine d'un bon nombre de ses colères royales. Les Gréco-Romains mangeaient leurs volailles accompagnées d'asperges. Au cours du Moyen-Age, la culture de ce légume était inconnue, puis il réapparut par la suite et Louis XIV en fit planter par ses jardiniers à Versailles. Le persil, si populaire et si sain, fut introduit en Europe par Catherine de Médicis (les Romains l'avaient déjà utilisé pour donner de la force à leurs gladiateurs).

Ce qui est certain, c'est que les produits d'origine animale devraient être toujours consommés accompagnés d'une bonne dose de légumes verts, l'alcalinité de ces derniers contrebalançant l'acidité excessive des viandes et des poissons.

Les légumes verts

Pommes de terre farcies

Huit pommes de terre de même grosseur
100 grammes de viande de porc hachée
50 grammes de lard haché
100 grammes de veau haché
Deux gousses d'ail
Deux oignons
Un oeuf
Mie de pain
Un verre de vin blanc
Huile, sel et poivre

1. Mélangez les viandes hachées. Assaisonnez de sel, de poivre, d'ail, de persil, et mélangez bien le tout avec une cuillerée de mie de pain et un oeuf.
2. Epluchez les pommes de terre, coupez-les en deux et videz-les avec une petite cuillère. Farcissez-les avec la viande.
3. Dans un plat pouvant aller au four, faites frire l'oignon haché. Mettez les pommes de terre par-dessus et versez le reste de la farce autour des pommes de terre. Recouvrez de vin blanc et d'un verre d'eau. Fermez et faites cuire à feu doux jusqu'à ce que les pommes de terre soient tendres. Saupoudrez de persil et servez dans le plat.

Panaché de légumes

Une demi-livre d'épinards
Une demi-livre de champignons
Une demi-livre de pommes de terre nouvelles
200 grammes de carottes
200 grammes de navet
Deux artichauts
Amandes crues émondées
Huile
Vin blanc
Persil haché

1. Nettoyez les légumes et coupez-les en gros morceaux. Faites-les cuire séparément dans de l'eau bouillante.
2. Faites bouillir les champignons dans du vin blanc additionné d'une cuillerée de beurre ou d'huile.
3. Faites sauter les légumes séparément. Disposez-les sur un plat.
4. Coupez les amandes en fines lamelles et faites-les revenir dans un peu d'huile ou de beurre. Saupoudrez les légumes avec les amandes et le persil haché.

Concombre à la moutarde

Un concombre d'un kilo
Un citron
Un demi-verre de vin blanc
Deux cuillerées de moutarde forte
Quatre cuillerées de ciboulette hachée
Sel et poivre

1. Coupez le concombre en grosses rondelles, et faites-le bouillir dans de l'eau pendant dix minutes.
2. Dans un fait-tout, mettez l'huile, le jus de citron, le vin blanc, la moutarde, le sel et le poivre. Egouttez le concombre et ajoutez-le au mélange du fait-tout.
3. Laissez cuire pendant environ dix minutes à feu doux. Laissez refroidir et saupoudrez de ciboulette au moment de servir.

Pommes de terre au gratin

Un kilo et demi de pommes de terre
Trois-quarts de litre de lait
Crème fraîche
Beurre
Fromage râpé
Une gousse d'ail
Poivre moulu
Noix de muscade râpée
Sel

1. Coupez les pommes de terre en rondelles très fines. Assaisonnez de sel, de poivre et de noix de muscade, en remuant bien.
2. Dans un plat frotté à l'ail disposez les rondelles de pommes de terre. Ajoutez le lait que vous venez de faire bouillir et recouvrez bien les pommes de terre. Ajoutez quelques noix de beurre sur le dessus.
3. Faites cuire à four moyen jusqu'à ce que les pommes de terre soient molles.
4. Une fois les pommes de terre cuites, recouvrez-les de crème fraîche chaude et saupoudrez-les de fromage râpé. Faites gratiner au four.

Tomates farcies

Quatre tomates
Un pied de céleri en branches
Une boîte de crabe
Mayonnaise
Citron
Ciboulette
Sel et poivre

1. Coupez le haut des tomates et évidez-les. Lavez le céleri et hachez-le. Emiettez la chair du crabe.
2. Préparez une mayonnaise assaisonnée du jus d'un citron moyen, de sel et de poivre. Incorporez le céleri et le crabe à la mayonnaise et ajoutez un peu de ciboulette hachée.
3. Farcissez les tomates avec ce mélange et servez frais.

Pommes de terre au fromage

Un kilo de pommes de terre
150 grammes de roquefort
Lait
Crème fraîche
Un oeuf
Beurre
Sel et poivre

1. Epluchez les pommes de terre, lavez-les et coupez-les en fines rondelles.
2. Ecrasez le fromage avec une fourchette et ajoutez progressivement un verre de lait pour obtenir une crème. Assaisonnez d'une pincée de sel et de poivre.
3. Dans un plat beurré pouvant aller au four, mettez une couche de rondelles de pommes de terre, puis une de crème de fromage, et continuez jusqu'à épuisement des ingrédients, en finissant par une couche de pommes de terre. Ajoutez quelques noix de beurre sur le dessus et cuisez à four doux pendant une heure.
4. Mélangez un jaune d'oeuf et un peu de crème fraîche, salez et poivrez. Au bout d'une heure de cuisson, étalez ce mélange sur les pommes de terre et remettez le tout au four pendant une demi-heure pour gratiner le plat.

Tomates farcies à la provençale

Quatre tomates
Deux oignons
50 grammes de champignons
Une demi-gousse d'ail
Mie de pain
Anchois
Deux jaunes d'oeuf
Persil haché
Huile
Sel et poivre

1. Ouvrez les tomates par le haut et videz-les.
2. Hachez les oignons, faites-les revenir un peu dans de l'huile et mélangez-les avec de la mie de pain, l'ail pilé, les champignons coupés en morceaux, le persil, quelques filets d'anchois coupés en petits morceaux, les jaunes d'oeuf, le sel et le poivre.
3. Mélangez bien tous les ingrédients et remplissez les tomates avec ce mélange. Mettez les tomates dans un plat pouvant aller au four, entourez-les avec le reste de la farce et cuisez-les à four moyen pendant quarante minutes. Une fois cuites, décorez-les avec des filets d'anchois.

Jardinière de légumes

Une livre de carottes
Une livre de haricots verts
Une livre de pommes de terre
Une demi-livre de petits-pois
100 grammes de bacon
Trois oeufs durs
Un oignon
Bouillon
Huile et sel

1. Epluchez les légumes et l'oignon et coupez-les.
2. Dans un fait-tout contenant de l'huile, faites frire l'oignon et le bacon coupé en petits morceaux. Ajoutez les légumes et faites revenir quelques minutes. Ajoutez un demi-litre de bouillon bouillant et faites cuire à feu doux.
3. Faites frire les pommes de terre et jetez-les dans le fait-tout lorsque les légumes verts sont presque cuits. Disposez le tout sur un plat et décorez avec des moitiés d'oeuf dur.

Les légumes verts

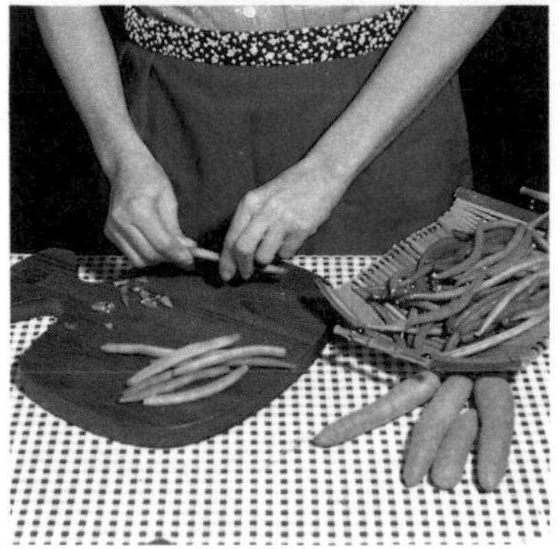

Légumes verts à la crème

Une livre et demie de haricots verts
Farine
Beurre
Un quart de litre de lait
Un quart de litre de crème de lait
Croûtons
Noix de muscade
Sel

1. Faites cuire les haricots verts dans de l'eau salée et égouttez-les.
2. Dans une casserole ou une cocotte contenant du beurre, jetez un peu de farine. Avant qu'elle ne dore, ajoutez le lait bouillant. Puis ajoutez le sel et un peu de noix de muscade.
3. Faites cuire doucement et mélangez ensuite avec les haricots verts. Remettez à cuire jusqu'à réduction du liquide. Ajoutez la crème de lait à la fin. Servez avec des croûtons.

Ratatouille niçoise

Un kilo de courgettes
Une livre d'aubergines
Une demi-livre de poivrons verts
Une livre et demie de tomates mûres
Une livre d'oignons
Trois oeufs durs
Huile et sel

1. Dans un fait-tout contenant six cuillerées d'huile, faites revenir l'oignon finement haché. Une fois qu'il est doré, ajoutez les tomates pelées et hachées. Faites revenir pendant dix minutes.
2. Epluchez les courgettes et les aubergines et coupez-les en dés. Coupez les poivrons en morceaux. Mettez le tout dans le fait-tout et faites revenir pendant dix minutes. Fermez le fait-tout et laissez cuire à feu doux jusqu'à ce que tous les légumes soient tendres.
3. Servez dans un plat ou une cocotte en terre en décorant avec des moitiés d'oeuf dur.

Légumes secs

Haricots blancs à la morue

300 grammes de haricots blancs
250 grammes de morue
Trois tomates
Une gousse d'ail
Huile
Persil

1. Faites tremper la morue pendant vingt-quatre heures et les haricots blancs pendant douze heures.
2. Faites cuire les haricots blancs dans de l'eau salée. Emiettez la morue.
3. Mélangez les haricots blancs et la morue dans un plat pouvant aller au four et ajoutez les tomates coupées en dés. Saupoudrez d'ail pilé et arrosez avec un peu d'huile.
4. Faites cuire une demi-heure à feu vif et saupoudrez de persil avant de servir.

Haricots blancs aux clovisses

600 grammes de haricots blancs
300 grammes de clovisses
Chapelure
Oignon
Ail
Laurier
Safran
Persil
Huile et sel

1. Faites tremper les haricots blancs toute une nuit dans de l'eau salée.
2. Dans une marmite, mettez les haricots avec un morceau d'oignon, une gousse d'ail, un brin de persil, du laurier, et de l'huile. Recouvrez d'eau et faites cuire à feu doux en veillant à ce que les haricots soient toujours recouverts d'eau.
3. Faites cuire les clovisses dans de l'eau froide, dans un récipient à part, jusqu'à ce qu'elles s'ouvrent. Enlevez les coquilles et conservez l'eau de cuisson.
4. Quand les haricots blancs sont presque cuits, ajoutez les clovisses avec leur eau de cuisson, un peu de safran, du sel, et continuez à faire cuire à feu doux pendant un certain temps. Laissez reposer avant de servir.

Choucroute alsacienne

Un kilo de choucroute crue
Un oignon
Graisse d'oie
Vin blanc
Coriandre
Baies de genièvre
Un jambonneau
400 grammes de lard fumé
Une livre de côtelettes de porc fumées
Saucisses
Pommes de terre
Sel et poivre

1. Faites cuire la choucroute dans une grande marmite avec un peu de graisse d'oie, de l'oignon haché, du sel et du poivre. Ajoutez un verre de vin blanc et de l'eau sans recouvrir la choucroute, puis la coriandre et le genièvre, et faites cuire pendant deux heures.
2. Au bout d'une demi-heure de cuisson, ajoutez le jambonneau (dessalé auparavant dans de l'eau froide pendant deux heures), le lard et les côtelettes de porc.
3. Au bout d'une heure et demie de cuisson, ajoutez quelques pommes de terre épluchées et quelques saucisses. Servez avec de la moutarde.

Ragoût de haricots blancs au jambon

Une demi-livre de haricots blancs
Une demi-livre de lard maigre
Oignon
Un quart de litre de soupe à la tomate
Sucre fin
Moutarde en poudre
Huile
Persil haché

1. Faites tremper les haricots toute une nuit.
2. Faites revenir l'oignon haché et le lard coupé en morceaux. Ajoutez la soupe à la tomate, une cuillerée de sucre et une autre de moutarde, et remuez bien le tout. Ajoutez les haricots égouttés et un litre d'eau.
3. Fermez le fait-tout et laissez cuire à feu doux pendant une heure au moins jusqu'à ce que les haricots soient cuits. Saupoudrez de persil.

Ragoût aux châtaignes

Un chou pommé
Une livre de châtaignes
300 grammes de saucisses
Un oignon
Un quart de litre de vin blanc
Un quart de litre de bouillon
Beurre
Thym et laurier
Poivre

1. Faites cuire le chou pommé dans de l'eau salée pendant vingt minutes. Egouttez-le.
2. Dans un fait-tout contenant un peu de beurre fondu, mettez le chou pommé cuit, l'oignon, le thym, le laurier, un peu de poivre, le vin et le bouillon. Ajoutez également les châtaignes pelées et crues.
3. Fermez le fait-tout et faites cuire pendant une demi-heure. Pendant ce temps, faites revenir les saucisses dans du beurre, et, au bout d'une demi-heure, ajoutez-les au ragoût. Faites cuire pendant vingt minutes.

Ragoût aux haricots blancs

300 grammes de haricots blancs
Un oignon
Une feuille de laurier
200 grammes de poitrine de porc salée
Paprika
Huile, sel et poivre

1. Faites tremper les haricots dans de l'eau froide toute la nuit.
2. Egouttez-les et faites-les bouillir. Puis égouttez-les. Remettez-les dans beaucoup d'eau, portez de nouveau à ébullition, baissez le feu et laissez cuire à feu doux pendant deux à trois heures.
3. Dans une poêle contenant de l'huile, faites revenir la poitrine coupée en morceaux avec l'oignon et une feuille de laurier. Ajoutez le paprika. Une fois le mélange à point, mettez-le dans le fait-tout avec les haricots blancs.
4 Le cas échéant, ajoutez de l'eau de temps en temps pendant la cuisson. Ce plat doit être servi avec un peu de jus.

Riz aux bettes

300 grammes de bettes
200 grammes de riz
Une gousse d'ail
Basilic
Fromage râpé
Huile

1. Lavez les bettes et coupez-les en petits morceaux. Faites-les cuire vingt minutes dans de l'eau salée bouillante.
2. Ajoutez le riz et poursuivez la cuisson pendant quinze minutes.
3. Pilez dans un mortier l'ail et le basilic, ajoutez trois cuillerées de fromage râpé et une cuillerée d'huile. A la fin de la cuisson, ajoutez ce mélange au riz et aux bettes.

Riz à l'andalouse

400 grammes de riz
150 grammes de jambon
150 grammes de chorizo
Lard
Un demi-poulet
Dix tiges de ciboulette
Six gousses d'ail
Laurier
Huile, sel et poivre

1. Epluchez l'ail et passez-le au four pendant quelques minutes.
2. Dans un fait-tout ou une cocotte, faites chauffer un peu d'huile. Ajoutez l'ail rôti, le poulet coupé en morceaux, le jambon, le chorizo et le lard hachés. Ajoutez également la ciboulette et un peu de laurier. Faites revenir le tout et laissez cuire jusqu'à ce que le poulet soit à point. Ajoutez un peu d'eau le cas échéant, salez et poivrez.
3. Une fois le poulet bien cuit, ajoutez le riz et un litre d'eau. Laissez cuire environ vingt minutes. Retirez le laurier avant de servir.

Riz aux champignons

200 grammes de riz
300 grammes de champignons
Huit saucisses
100 grammes de fromage râpé
Beurre
Un demi-citron
Sel et poivre

1. Faites cuire le riz dans beaucoup d'eau salée.
2. Faites revenir les champignons dans du beurre, salez, poivrez et ajoutez le jus d'un demi-citron.
3. Egouttez le riz et ajoutez rapidement le fromage râpé. Disposez le tout dans un moule en couronne. Démoulez sur un plat et mettez les champignons au milieu et les saucisses grillées autour.

Riz à la cubaine

Une demi-livre de riz
Jambon de montagne et échine de porc
Deux bananes
Deux tomates
Huit oeufs sur le plat
Un oeuf battu
Saindoux
Farine
Sel

1. Faites revenir l'oignon et la tomate et ajoutez le jambon et l'échine de porc hachés.
2. Faites cuire le riz dans beaucoup d'eau salée bouillante. Au bout de dix minutes, égouttez-le et passez-le sous le robinet d'eau froide pour le refroidir.
3. Dans un plat allant au four, ajoutez le riz au mélange. Assaisonnez.
4. Mettez sur le mélange quelques gros morceaux de saindoux et passez le tout au four pendant quelques minutes jusqu'à ce que le riz ait absorbé le saindoux, en remuant.
5. Coupez les bananes en morceaux, enrobez-les de farine et d'oeuf battu et faites-les frire dans de l'huile.
6. Mettez le riz au centre d'un plat et les oeufs sur le plat autour, en alternance avec des morceaux de banane. Servez une sauce tomate à part.

Riz

Riz aux saucisses

400 grammes de riz
Deux ou trois saucisses
Oignon
Une gousse d'ail
Citron
Persil
Paprika
Huile et sel

1. Faites cuire les saucisses, puis mettez-les de côté.
2. Dans le jus de cuisson additionné d'eau pour obtenir un litre de liquide au moins, mettez une gousse d'ail pilée avec un peu de persil et faites bouillir pendant un instant.
3. Ajoutez le riz et les saucisses coupées en morceaux. Dès l'ébullition, ajoutez de l'oignon frit haché finement et une cuillerée de paprika. Salez et laissez cuire à feu vif pendant quinze minutes. Servez avec un peu de jus.

Riz blanc au thon

Riz blanc
Une boîte de thon (ou une demi-livre de thon frais)
Sauce tomate
Un poivron
Oignon
Ail
Persil
Huile et sel

1. Faites frire l'oignon, l'ail et un brin de persil finement hachés. Ajoutez une tomate dès que l'oignon commence à dorer. Emiettez le thon (faites-le cuire auparavant, s'il s'agit de thon frais) et ajoutez-le. Enfin ajoutez le poivron haché et salez. Laissez cuire un quart d'heure.
2. En vous servant d'un moule, mettez le riz sur un plat en forme de couronne. Mettez le thon et la sauce tomate au centre de la couronne et décorez le riz avec des lamelles de poivron.

Riz au lapin

Un lapin
300 grammes de riz
Une demi-livre d'artichauts
Une demi-livre de tomates
Une boîte de petits-pois
Deux piments
Un petit oignon
Un verre de vin blanc
Ail
Safran
Huile
Sel

1. Nettoyez le lapin et coupez-le en morceaux. Dans un fait-tout contenant de l'huile, faites revenir l'oignon et ajoutez le lapin.
2. Ajoutez le vin blanc et laissez cuire pendant un quart d'heure.
3. Ajoutez le riz et les légumes. Assaisonnez de safran et de sel et faites cuire pendant vingt minutes.

Riz à la paysanne

400 grammes de riz
Une boîte de petits-pois
300 grammes de carottes
Un poivron
Un demi-oignon
Sauce tomate
Deux gousses d'ail
Lard maigre
Safran
Persil
Huile et sel

1. Dans un fait-tout ou une cocotte en terre contenant de l'huile chaude, faites revenir l'oignon finement haché. Ajoutez le lard coupé en dés, les carottes également coupées en dés, les petits-pois, le poivron, une cuillerée de sauce tomate et l'ail pilé avec un peu de persil, délayés dans une cuillerée d'eau. Fermez le fait-tout et faites cuire pendant quelques minutes.
2. Ajoutez le riz, faites revenir le tout pendant quelques minutes et ajoutez un litre d'eau bouillante. Assaisonnez de sel et d'une pincée de safran et laissez cuire à feu doux pendant vingt minutes.

Salade de riz et de thon

150 grammes de riz
Une grande boîte de thon à la tomate
Une branche de céleri
Raisins secs
Vin blanc
Une cuillerées de pignons grillés
Jus de citron
Petits oignons
Huile d'olive
Sel et poivre

1. Faites cuire le riz dans de l'eau. Egouttez-le et laissez-le refroidir. Arrosez-le d'huile d'olive.
2. Ajoutez les raisins secs (trempés auparavant dans un verre de vin blanc tiède), le céleri en petits morceaux, les pignons et les petits oignons. Arrosez avec du jus de citron, salez et poivrez.
3. Remuez bien le tout et ajoutez, le cas échéant, un peu d'huile d'olive. Mettez le thon émietté au centre du plat. Mélangez le thon au riz au moment de servir.

Riz à la barcelonaise

500 grammes de riz
Une demi-livre de poulet
Une demi-livre de calamars
Une demi-livre de saucisse blanche
200 grammes de clovisses
Jambon
Deux tomates
Un poivron
Un oignon
Deux gousses d'ail
Persil
Huile, sel et poivre

1. Coupez les calamars et faites-les revenir. Plongez les clovisses dans de l'eau chaude pour qu'elles s'ouvrent et enlevez les coquilles. Passez le poivron au four.
2. Dans un fait-tout ou une cocotte en terre, faites revenir l'oignon finement haché. Ajoutez les calamars frits, le poulet coupé en morceaux, la saucisse blanche et le jambon, coupés en morceaux, et les tomates, pelées et coupées en morceaux. Faites cuire doucement et ajoutez les clovisses et leur jus de cuisson.
3. Ajoutez le riz en dernier. Faites revenir le tout et recouvrez d'un litre d'eau bouillante. Assaisonnez de sel, d'ail pilé et de persil. Laissez cuire vingt minutes.
4. Servez le riz dans le fait-tout en le décorant de lamelles de poivron rôti.

Riz à la thaïlandaise

Trois tasses de riz
Une gousse d'ail
Trois cuillerées de veau haché
Une cuillerée de sauce au soja
Une cuillerée de sauce tomate
Un oeuf
Un concombre
Une cuillerée d'huile
Sel et poivre

1. Faites frire l'ail dans de l'huile bouillante et mettez le veau. Salez, poivrez et ajoutez le soja, l'oignon et la sauce tomate.
2. Faites bouillir le riz, égouttez-le et mélangez-le à la viande.
3. Servez le riz, disposez des rondelles de concombre sur son pourtour et un oeuf sur le plat sur le dessus.

Riz à la morue

400 grammes de riz
200 grammes de morue
Un litre un quart de bouillon
Une tomate
Un poivron
Oignon
Deux gousses d'ail
Paprika
Huile et sel

1. Faites tremper la morue vingt-quatre heures après l'avoir coupée en morceaux. Enlevez la peau et émiettez-la.
2. Dans une poêle, faites chauffer un peu d'huile et revenir l'oignon finement haché, puis le poivron coupé en lamelles. Dès que l'oignon est doré, ajoutez la tomate, l'ail haché et une cuillerée de paprika. Au bout de cinq minutes, ajoutez la morue et un peu de bouillon. Laissez cuire à feu doux pendant quinze minutes.
3. Au bout de ces quinze minutes, ajoutez le reste du bouillon, salez et ajoutez le riz. Laissez cuire pendant un quart d'heure sans remuer.

Riz aux gambas

Une livre de riz
300 grammes de gambas décortiquées
Deux oignons
Un demi-verre d'huile
Piment doux
Une gousse d'ail

1. Dans un fait-tout contenant de l'huile chaude, faites revenir l'oignon haché. Dès qu'il commence à dorer, ajoutez le riz et faites-le également dorer.
2. Recouvrez le riz d'eau et assaisonnez de sel, de poivre, d'un peu de piment doux et d'ail pilé. Laissez cuire le riz jusqu'à l'absorption complète de l'eau.
3. A mi-cuisson, ajoutez les gambas décortiquées, en garder quelques-unes pour décorer.

Riz végétarien

400 grammes de riz
Une boîte de petits-pois
Un piment
Deux carottes
Un oignon
Quatre artichauts
Trois tomates
Deux gousses d'ail
Un citron
Persil
Huile et sel

1. Dans un fait-tout contenant de l'huile chaude, faites revenir l'oignon et l'ail finement hachés. Dès qu'ils commencent à dorer, ajoutez les tomates pelées et égrainées, puis les artichauts nettoyés, les petits-pois, les carottes coupées en morceaux et un brin de persil haché. Ajoutez un peu d'eau, le cas échéant, et laissez cuire pendant environ dix minutes.
2. Puis, ajoutez le riz et un litre d'eau chaude. Salez et faites cuire pendant environ vingt minutes.
3. Laissez reposer et servez dans le plat de cuisson en décorant avec des rondelles de citron et des lamelles de piment rôti.

Riz au jambon

400 grammes de riz
200 grammes de jambon
Deux oignons
200 grammes de champignons
Bouillon
Persil
Beurre
Fromage râpé
Sel et poivre

1. Dans un fait-tout contenant du beurre, faites revenir les oignons hachés et le riz.
2. Dès qu'ils dorent, ajoutez les champignons coupés en morceaux et le jambon coupé en dés. Recouvrez le riz de bouillon et laissez cuire jusqu'à ce qu'il ait absorbé tout le liquide. Salez et poivrez.
3. Saupoudrez de persil et de fromage râpé avant de servir.

Riz blanc à la mayonnaise

Riz blanc

Mayonnaise
Trois oeufs durs
Une boîte de thon
Ail
Huile, vinaigre et sel

1. Emiettez le thon et mélangez-le au riz cuit et froid. Assaisonnez d'un peu d'huile et de vinaigre.
2. Mettez le riz sur un plat rond en lui donnant la forme que vous désirez. Recouvrez de mayonnaise. Au moment de servir, décorez avec des morceaux d'oeufs durs.

Riz aux petits-pois

400 grammes de riz
400 grammes de petits-pois en boîte ou surgelés
300 grammes de lard
Un litre et demi de bouillon
Fromage râpé
Oignon
Persil
Huile, sel et poivre

1. Dans un fait-tout contenant un peu de beurre et d'huile, faites dorer un peu d'oignon et de persil finement hachés et

faites revenir les petits-pois pendant quelques secondes.
2. Incorporez le riz et ajoutez doucement le bouillon déjà chaud. Remuez de temps en temps, salez et poivrez.
3. Une fois la cuisson terminée, mettez quelques noix de beurre sur le riz et saupoudrez de fromage râpé.

Riz aux légumes

400 grammes de riz
Haricots secs cuits
Pommes de terre
Un oignon
Deux tomates
Deux oeufs durs
Deux gousses d'ail
Safran
Huile, persil et sel

1. Dans un fait-tout ou une cocotte peu profonde, faites frire l'oignon. Ajoutez les pommes de terre coupées en rondelles et les tomates pelées et coupées. Faites revenir le tout.
2. Une fois que tout est bien doré, ajoutez le riz et le double d'eau salée bouillante, puis les haricots et l'ail pilé avec du safran. Faites cuire pendant cinq minutes à feu vif.
3. Terminez la cuisson au four pendant un quart d'heure. Servez dans le plat après avoir saupoudré le tout de persil.

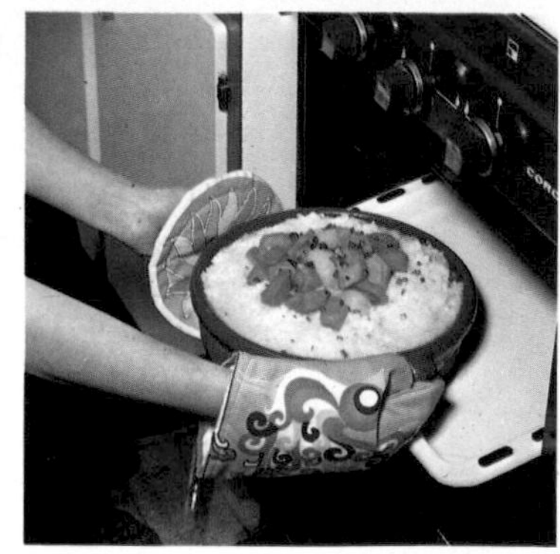

Riz blanc

400 grammes de riz
Ail
Laurier
Sel

1. Mettez de l'huile dans un fait-tout et faites frire une gousse d'ail. Retirez l'ail une fois qu'il est doré. Ajoutez le riz avec une demi-feuille de laurier et faites revenir en remuant avec une cuillère.
2. Puis, ajoutez de l'eau chaude à raison de deux volumes d'eau pour un volume de riz. Ajoutez quelques gouttes de citron, salez et laissez cuire à feu vif pendant quinze minutes sans remuer; baissez le feu au fur et à mesure que l'eau est absorbée. Enfin, faites cuire cinq minutes à feu très doux. Laissez reposer dix minutes avant de servir.

Riz blanc aux calamars

Riz blanc
Un kilo de calamars
Oignon, ail
Farine
Vin blanc
Laurier, persil, huile et sel

1. Nettoyez les calamars et préparez-les dans leur encre.
2. Mettez le riz blanc sur un plat rond en forme de couronne, les calamars préparés dans leur encre étant disposés au centre.

Riz aux bananes

120 grammes de riz
Une boîte de petits-pois
Deux carottes râpées
Trois bananes
Huile
Beurre

1. Dans un fait-tout contenant de l'huile et un peu de beurre chauds, faites dorer le riz en remuant bien pendant cinq minutes.
2. Ajoutez deux volumes d'eau pour un volume de riz. Fermez le fait-tout et laissez cuire.
3. Une fois que le riz a absorbé les trois quarts de l'eau, ajoutez les carottes râpées, les petits-pois et refermez le fait-tout.
4. Faites dorer les bananes coupées en rondelles dans un peu d'huile et de beurre chauds. Présentez le riz sur un plat en disposant les rondelles de banane sur le dessus.

Riz pilaf et poulet au curry

Un poulet
Riz pilaf
Beurre
Farine
Un demi-litre de bouillon
Une cuillerée de poudre de curry
Sel et poivre

1. Faites cuire le poulet dans de l'eau bouillante salée pendant dix minutes. Coupez-le en morceaux et disposez-le sur un plat, sur un lit de riz pilaf.
2. Préparez une sauce au curry de la façon suivante: dans une petite casserole, faites fondre du beurre et ajoutez une poignée de farine. Une fois que le mélange est doré, ajoutez un demi-litre de bouillon. Laissez cuire jusqu'à ce que le mélange devienne crémeux et ajoutez la poudre de curry, le sel et le poivre. Laissez cuire quelques minutes et versez cette sauce sur le poulet et le riz.

Riz au poulet

Un poulet
Une saucisse
150 grammes de bacon
Un poivron vert
Des poivrons rouges
200 grammes de riz
Une boîte de petits-pois
Un oignon
Une gousse d'ail
Huile
Sel et poivre

1. Coupez le poulet en morceaux et faites-le dorer dans un fait-tout contenant de l'huile chaude. Salez, poivrez, fermez le fait-tout et laissez cuire à feu doux.
2. Faites dorer le bacon à part et ajoutez le riz.
3. Dans un autre fait-tout contenant de l'huile chaude, mettez le riz, remuez jusqu'à ce qu'il soit doré et recouvrez-le de deux volumes d'eau. A mi-cuisson, ajouter les poivrons rouges coupés en lamelles, une gousse d'ail pilée, de l'oignon haché, du sel et du poivre. A la fin de la cuisson, ajoutez les petits-pois.
4. Faites réchauffer le saucisson coupé en rondelles, ainsi que le poivron vert également coupé en rondelles. Au moment de servir, mettez le poulet sur un plat, le saucisson, le bacon et les poivrons verts sur un autre, et le riz et les petits-pois sur un troisième.

Riz blanc à l'échine de porc

Riz blanc
Huit tranches d'échine de porc
Une boîte de champignons
Deux petits oignons
Ail
Fromage râpé
Huile et sel

1. Dans une poêle, faites frire l'oignon finement haché. Puis, ajoutez les champignons coupés en morceaux et le fromage râpé. Salez.
2. Passez les tranches d'échine de porc à la poêle et, une fois cuites, mettez au centre de chacune d'elles quelques champignons et du fromage râpé. Repliez chaque tranche d'échine et fermez-les avec un bâtonnet.
3. Mettez le riz blanc dans un plat pouvant aller au four et posez dessus les tranches d'échine de porc farcies. Faites gratiner au four et servez bien chaud.

Riz aux seiches

400 grammes de riz
400 grammes de petites seiches
Beurre
Oignon
Ail
Fromage râpé
Un litre un quart de bouillon de poisson
Sel et poivre

1. Hachez un oignon, une gousse d'ail, un peu de persil et faites-les revenir avec du beurre dans un fait-tout.
2. Ajoutez les seiches bien lavées, en laisser la moitié avec leur poche d'encre. Salez, poivrez, fermez le fait-tout et laissez cuire à feu doux.
3. Quand le jus de cuisson a épaissi, ajoutez doucement le riz et le bouillon. Laissez cuire pendant environ vingt minutes. Retirez du feu et, avant de servir, disposez sur le riz quelques noix de beurre et du fromage râpé.

Paëlla valencienne

Une tasse et demie de riz par personne
Trois tasses d'eau par personne
400 grammes de calamars
200 grammes de seiches
200 grammes de baudroie
200 grammes de langoustines
Une livre de moules
Un poivron rouge
Quatre tomates
Un petit oignon
Deux gousses d'ail
Une petite tasse d'huile
Safran
Sel

1. Faites chauffer l'huile avec du sel, afin de neutraliser l'acidité éventuelle du plat.
2. Faites dorer les calamars, les seiches, la baudroie et les langoustines. Retirez du feu.
3. Dans la même huile, faites revenir l'oignon. Dès qu'il est doré, ajoutez les tomates coupées et l'ail pilé, puis une pincée de sucre pour neutraliser l'acidité de la tomate. Faites revenir jusqu'à absorption complète de l'eau.
4. Ajoutez les calamars, les seiches, la baudroie, les langoustines et le riz. Faites revenir le tout pendant un moment.
5. A part, faites bouillir l'eau et les moules pour que celles-ci s'ouvrent. Enlevez les coquilles.
6. Après avoir procédé à l'opération 4, ajoutez le mélange à l'eau bouillante, puis le safran, les langoustines (que vous n'aurez pas fait revenir) et le poivron coupé en lamelles (poivron en boîte ou cuit à part). Disposez le tout avec goût.
7. Temps de cuisson: environ vingt minutes. Le riz ne doit pas coller.

La cuisine dans la peinture

Les marchés de Naples étaient déjà réputés au XVIIème siècle. Les meilleurs fruits et légumes du bassin méditerranéen arrivaient dans les ports italiens avant d'être réexpédiés vers les différents marchés d'Europe. Certains de ces fruits, en provenance d'Afrique, étaient tellement doux et appréciés que le pape Paul II mourut d'une indigestion de melons napolitains. Les Italiens importèrent d'Orient la mode des sorbets aux fruits alors que les glaciers napolitans étaient déjà connus depuis le XVIème siècle. A l'èpoque du Ier empire, Velloni et Tortoni imposèrent à Paris le goût des glaces.

A. de Muyser - Marché - Capodimonte. Naples

Avant de servir le dessert, les Romains saupoudraient le sol de sciure teintée de safran puis ils balayaient pour ramasser les restes du festin. Ensuite, ils servaient les desserts décorés avec beaucoup d'invention: des grives faites de pâte et remplies de raisins secs ou des coings piqués d'épines comme des hérissons. On mangeait des fruits comme casse-croute, entre les repas. Toutefois, lorsque les Espagnols découvrirent l'Amérique, ces derniers prenaient des fruits frais comme hors-d'oeuvre ou bien en pâte de fruits ou en confiture comme dessserts. Leurs fruits préférés étaient les raisins, les grenades, les oranges et les melons d'hiver.

Menéndez - Nature morte - Musée d'Art de Catalogne. Barcelone

Le monarque espagnol, Charles III, était un homme ordonné mais routinier. "Je fus surpris, un jour, écrivit le sybarite Casanova, de voir sa Majesté Catholique s'asseoir à table à la même heure que les cordonniers parisiens, c'est à dire a onze heures du matin et manger toujours la même chose." Les habitudes sévères qui règnaient à la cour espagnole, à cette époque-là, ne laissaient de surprendre notre aventurier vénitien qui déjeunait d'huitres qu'il pêchait une à une dans la bouche de ses maîtresses. Sans doute Casanova était-il fin gastronome, en tout cas, pour se consoler de la perte de sa fiancée, il s'offrit un festin de morue fraiche chez l'une de ses amies.

L. Paret - Repas de Charles III devant la cour - Musée du Prado. Madrid